SIEMPRE A FLOTE, CHARLIE BROWN

SIEMPRE A FLOTE, CHARLIE BROWN

A Spanish Translation of
The Unsinkable Charlie Brown

por *Charles M. Schulz*

HOLT, RINEHART AND WINSTON

New York · Chicago · San Francisco

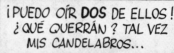

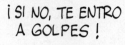

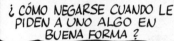

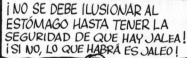

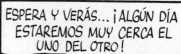

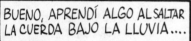

BUENO, APRENDÍ ALGO AL SALTAR LA CUERDA BAJO LA LLUVIA....

¡SE ENCOGE!

ESA ASPIRADORA HACE MUCHO RUIDO...

¡TÚ TAMBIÉN LO HARÍAS SI ALGUIEN TE COMPRIMIERA LA CARA CONTRA UNA ALFOMBRA!

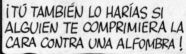

QUERIDO EDITOR DE "CARTAS AL EDITOR" ¿QUÉ TAL ESTÁ?

¿QUÉ TAL ESTÁ? ¿CÓMO LE VAS A DECIR ESO AL EDITOR DEL PERIÓDICO?

PENSÉ QUE LE GUSTARÍA SABER QUE ALGUIEN SE INTERESA POR SU SALUD

LOS PERIODISTAS TAMBIÉN SON HUMANOS ¿NO?

SCHULZ

¿TE MOLESTA PENSAR QUE LE PUEDAS CAER MAL A ALGUIEN?

¿YO CAERLE MAL A ALGUIEN? ¿CAER YO MAL? ¡NADA EN MÍ DISGUSTA A NADIE!

CELOSOS DE MÍ, TAL VEZ... PODRÍA SER... ¿PERO TENERME ANTIPATÍA A MÍ? NO, ES IMPOSIBLE....

ASÍ QUE, VOLVIENDO A TU PREGUNTA....

DEJA, DEJA..

SCHULZ

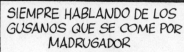

CÁLMATE.... ¡TRAIGO TERRIBLES NOTICIAS!

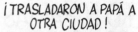
¡TRASLADARON A PAPÁ A OTRA CIUDAD!

¡AAAAY!

PUEDE QUE ÉSTE SEA MI ÚLTIMO JUEGO, CHARLIE BROWN

TRASLADARON A MI PAPÁ... NOS MUDAMOS A OTRA CIUDAD...PROBABLEMENTE NO TE VUELVA A VER MÁS...

A MENOS QUE VAYAMOS A LA MISMA UNIVERSIDAD.. ¿A QUÉ UNIVERSIDAD PIENSAS IR?

ES DIFÍCIL DECIDIRSE EN LA ÚLTIMA MITAD DEL ÚLTIMO INNING

¡DE VUELTA!

PAPÁ CAMBIÓ DE IDEA... NO LE GUSTÓ EL NUEVO TRABAJO...

¿QUÉ CLASE DE BARRIO ES ESTE? ¡NADA HA CAMBIADO EN MI AUSENCIA!

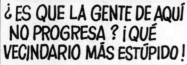

¿ES QUE LA GENTE DE AQUÍ NO PROGRESA? ¡QUÉ VECINDARIO MÁS ESTÚPIDO!

DE VUELTA ELLA TAMBIÉN...

¡REGRESÓ TU AMORCITO!

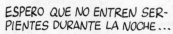

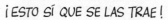

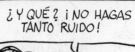

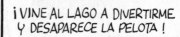

EL PRÓXIMO BATEADOR ES BASTANTE BUENO, CHARLIE BROWN..

SÍ, CHARLIE BROWN.. HAY QUE TENER CUIDADO..

¿QUÉ HAGO? ¿CAMBIO DE TÁCTICA? ¿LO DESPISTO?

NADA DE ESO, CHARLIE BROWN... BOLAS FUERTES Y BAJAS..

LINUS TIENE RAZÓN..

BIEN.. BOLAS RÁPIDAS... ¡VAMOS!

¿QUÉ HARÍA ÉSTE SI JUGÁRAMOS DE NOCHE?

¡DIOS MÍO! ¡OTRO JONRÓN!

¡DEBO SER MUY ESTÚPIDO PARA QUE ME DEN UNA PALIZA ASÍ!

MI EQUIPO ME ODIA, SOY UN MAL PITCHER, ME DUELE EL ESTÓMAGO.. NO SÉ PARA QUÉ JUEGO.. ¡SOY ESTÚPIDO!

BASTA, CHARLIE BROWN. CAMBIA TU ACTITUD. ¡LOS AÑOS PASAN Y TÚ NO ESTÁS DISFRUTANDO DE LA VIDA!

RECUERDA, CHARLIE BROWN.. ¡LOS MOMENTOS QUE PASAS EN LA LOMITA DEL PITCHER SON INOLVIDABLES!

RECUÉRDALOS SIEMPRE PORQUE NO VAMOS A SER NIÑOS TODA LA VIDA...

¡PAF!

¡ESTE MOMENTO SÍ QUE VA A SER INOLVIDABLE!

¡DICE ESTE TIPO QUE SI LE TIRAS UNA BOLA QUE REMOTAMENTE **PAREZCA** QUE LE VA A DAR EN LA CABEZA, TE MATA!

CREO QUE YA ME CONOCEN EL ESTILO... NECESITO ALGO NUEVO... ¿QUÉ ME ACONSEJAS, SCHROEDER?

¡UNA TRINCHERA DE CONCRETO!

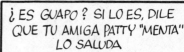

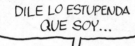

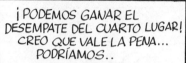

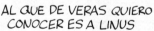

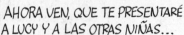

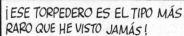

¡RAYOS!

¡SIEMPRE LE PONE DEMASIADA CANELA A MI TOSTADA!

¡REHÚSO RECOGER MADERA QUE NO HA SIDO DEBIDAMENTE LIJADA Y PULIDA!

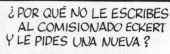

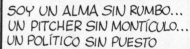

¡MIRA, LA PRIMERA HOJA QUE SE CAE OFICIALMENTE ESTE OTOÑO!

HACE SEMANAS QUE CAEN LAS HOJAS... ¿QUÉ HACE TAN OFICIAL LA CAÍDA DE ÉSTA?

¡HICE QUE UN NOTARIO DIERA FE!

¿VES ESTAS HOJAS, LINUS? ¡VUELAN AL SUR EN INVIERNO!

¿QUÉ TE HACE PENSAR QUE VUELAN AL SUR, LUCY?

CUANDO MIRAS UN MAPA EL NORTE ESTÁ ARRIBA Y EL SUR ABAJO ¿NO? A VER ¿NO ES CIERTO?

¿VES ESTAS HOJAS, LINUS? ¡VUELAN AL SUR EN INVIERNO!

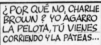

AGARRA LA COMETA ASÍ Y CUANDO YO TE AVISE LA SUELTAS...

¿LISTA?

¡OKEY, SUÉLTALA!

¡AAAAAY!

¡MI COMETA! ¡TAN BONITA! ¡NO LA SOLTASTE! ¡TE LO DIJE Y NO LA SOLTASTE!

NO ME DIJISTE "POR FAVOR"

CUANDO UN DÍA ME RECLUTE EL EJÉRCITO, Y ME PREGUNTEN QUÉ HACE ESTA COMETA ENREDADA AQUÍ, LES DIRÉ "NO ME HAGAN PREGUNTAS ESTÚPIDAS"

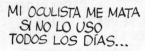

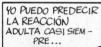

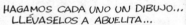

BUENO, ESTAMOS EN EL PRIMER TURNO DEL CONCURSO..

TENGO QUE CONSERVAR LA CALMA... ¡ESTA ES MI OPORTUNIDAD DE PROBAR QUE PUEDO HACER ALGO!

NO ME IMPORTA SI PIERDO.. LO QUE QUIERO ES PASAR LOS PRIMEROS ENCUENTROS Y HACER UN PAPEL DECENTE.. A VER... ¿CÓMO ERA LA REGLA?

"C EN LUGAR DE Z ANTES DE A Y DE O" NO, ASÍ NO ES.. "Z EN LUGAR DE C ANTES DE E Y DE I.." NO... "JOTA EN LUGAR DE G CUANDO..." .....MMMM....

SCHULZ

REALMENTE, NO TENGO POR QUÉ PREOCUPARME..

EN EL PRIMER TURNO TODAS LAS PALABRAS SON FÁCILES... A ESE NIÑO SÍ QUE LE TOCÓ UNA BUENA..

PERO CASI PREFERIRÍA EMPEZAR CON UNA DURA DE PELAR..PARA IMPRESIONAR A LOS OTROS CHICOS... PARA QUE SEPAN CON QUIÉN TIENEN QUE HABÉRSELAS

SIENTO UNA CALMA CHICHA..

SCHULZ

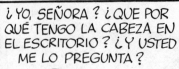

¿YO, SEÑORA? ¿QUE POR QUÉ TENGO LA CABEZA EN EL ESCRITORIO? ¿Y USTED ME LO PREGUNTA?

¡DIOS MÍO, AHORA SÍ QUE LA HICE!

¡PORQUE FALLÉ EN EL CONCURSO DE ORTOGRAFÍA, POR ESO!

"DEFIENDE MI CAUSA, SEÑOR, CONTRA MIS ENEMIGOS. ATACA A LOS QUE ME ATACAN... SÁLVAME DE LOS QUE ME PERSIGUEN..."

OFICINA DEL DIRECTOR

ME DUELE EL ESTÓMAGO

OFICINA DEL DIRECTOR

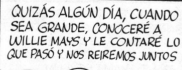

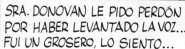

EL TEMA SE TITULA "MIS EXPERIENCIAS EN EL CAMPAMENTO DE VERANO"

"AL APEARME DEL AUTOBÚS ¡ME SENTÍ RODEADO DE SERPIENTES! ¡SERPIENTES A LA IZQUIERDA... A LA DERECHA... SERPIENTES A MI ALREDEDOR! YO..."

CLONC

!

POBRE SRTA. OTHMAR... ¡SE ME OLVIDÓ QUE LE TIENE TERROR A LAS SERPIENTES!

TÚ CREES QUE BEETHOVEN ERA UN GENIO...

¿Y QUE HAY DE CHOPIN, BACH, MOZART, BLOCH, BARTOK, BERLIOZ, BIZET, BRAHMS, DELIUS, DEBUSSY Y DVORAK?

¿Y ELGAR, FRANCK, GLINKA, GRIEG, HANDEL, HAYDN, HUMPERDINCK, LISZT, MAHLER, MENDELSSOHN, RAVEL, RACHMANINOFF, SCHUBERT, SIBELIUS, TSCHAIKOWSKY Y VIVALDI?

TAMBIÉN FUERON GRANDES...

¡RAYOS! ¡POR UN MOMENTO CREÍ QUE CAÍA EN LA TRAMPA!

¿SCHROEDER? TE LLAMO PARA DECIRTE QUE ESTUVE ESCUCHANDO A BEETHOVEN

LEÍ SU BIOGRAFÍA.. MUY INTERESANTE.. TRISTE PERO EDIFICANTE... ¿TÚ ME ENTIENDES?

TENGO UNA TARJETA POSTAL QUE TE VA A INTERESAR... UN TÍO ME LA ENVIÓ DE BONN, ALEMANIA.. TIENEN ALLÍ UN MUSEO

SUPONGO QUE BEETHOVEN NACIÓ ALLÍ ¿NO? SEGURO QUE TE GUSTARÍA IR.. TAL VEZ VAYAS ALGÚN DÍA...

BUENO, EL CASO ES QUE TE LLAMÉ PORQUE PENSÉ QUE ESTO TE INTERESARÍA

NO ES CORRECTO QUE UNA NIÑA LLAME A UN NIÑO POR TELÉFONO

¡AAAAJ!

SCHULZ

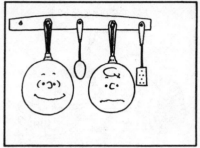

¿QUÉ TAL SI NOS CASÁRAMOS ALGÚN DÍA, SCHROEDER?

¿Y SI FUÉRAMOS TAN POBRES QUE TUVIERAS QUE VENDER TU PIANO PARA COMPRAR CAZUELAS?

¿CAZUELAS? NO PRETENDERÁS QUE EN MI CASA FALTE UN BUEN AJUAR DE COCINA ¿NO?

¿CAZUELAS?

LAS MUJERES PIENSAN EN ESAS COSAS... LOS HOMBRES TIENEN MÁS SUERTE... NO SE PREOCUPAN DE LAS CAZUELAS...

NO PUEDO MÁS... SIMPLE- MENTE, NO PUEDO...

SI ESTAMOS A DICIEMBRE DOCE, EL ANIVERSARIO DE BEETHOVEN NO ANDA LEJOS

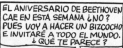

EL ANIVERSARIO DE BEETHOVEN CAE EN ESTA SEMANA ¿NO? PUES VOY A HACER UN BIZCOCHO E INVITARÉ A TODO EL MUNDO. ¿QUÉ TE PARECE?

SEMEJANTE ESFUERZO DE MI PARTE MERECE UNA RECOMPENSA. ¿QUE TAL UN BESITO?

DESPUÉS DE TODO, SI TANTO ADMIRAS A BEETHOVEN, BIEN PUEDES RECOMPENSAR A UNA PERSONA QUE SE ESFUERZA EN...

MUA

¡AAAAJ! ¡ME HA BESADO UN PERRO!

¡ME HAN ENVENENADO! ¡YODO! ¡AGUA CALIENTE! ¡GÉRMENES! ¡GÉRMENES! ¡GÉRMENES!

¡FELIZ ANIVERSARIO DE BEETHOVEN... EL JUEVES!

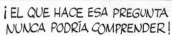

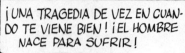

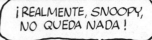

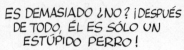

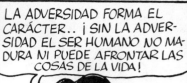